D1097790

ISBN : 9782-07-050868-6

Numéro d'édition : 130365
Loi n° 46-956 du 16 juillet 1949 sur les publications destinées à la jeunesse
Dépôt légal : mai 2007
Impression et reliure : Pollina, France - L43094

Balades

Images de
Jacqueline Duhême

GALLIMARD JEUNESSE

Sommaire

«On ne le voyait jamais écrire. Il avait besoin de la journée pour avoir des contacts avec les gens avec qui il travaillait directement. L'essentiel de son œuvre se déroulait la nuit. Il dormait peu. Le reste de la journée, il était disponible. Il lisait beaucoup les journaux et commentait la vie politique. Il avait une morale et ne supportait pas l'hypocrisie ni la duplicité. Les mots comptaient et il n'employait jamais un mot pour un autre. Chez lui c'était très gai. Sa maison était ouverte aux amis. Il y avait toujours sur la table un grand plateau de fromages, des gâteaux délicieux et du bon vin, raconte Jacqueline Duhême qui était son amie. Sa poésie prend certainement source dans sa propre enfance. Mais il parlait peu de son enfance. Il adorait les enfants. Plus ils étaient petits, plus il s'en occupait. Il avait lui-même conservé son beau regard d'enfant.»

Jacques Prévert

Jacques Prévert est né le 4 février 1900. Auteur de pièces de théâtre, de chansons, de scénarios de films – mis en scène par les plus grands réalisateurs de son temps –, Jacques Prévert, auteur de *Histoires*, *Spectacle*, *La Pluie et le Beau Temps*, *Fatras*, *Choses et autres*, est avant tout un poète. Un poète qui s'insurge, qui dénonce mais qui sait aussi s'émouvoir devant la beauté simple du monde : un enfant, un oiseau, une fleur. Un poète libre. Son indépendance de caractère l'a toujours éloigné des écoles, des partis ou des systèmes. Et ce n'est pas par indifférence aux événements du monde, son franc-parler prouverait le contraire. C'est son amour de la liberté qui lui a valu un si large public parmi les jeunes. Jacques Prévert est mort le 11 avril 1977.

Jacqueline Duhême

Son nom figure aux côtés de ceux de Paul Eluard, Jacques Prévert, Raymond Queneau, Claude Roy, Blaise Cendrars, Anne Philipe, Miguel Ángel Asturias, Gilles Deleuze, Joël Sadeler... Elle entre à vingt ans comme aide d'atelier chez Henri Matisse. « J'ai tout appris chez ce grand maître », dit-elle. Jacqueline Duhême est une pionnière de l'illustration des livres pour enfants et on lui doit d'avoir amené les grands poètes de notre temps à la littérature pour la jeunesse.
Avec Jacques Prévert, elle a noué une amitié chaleureuse, solide, exigeante, qui a duré jusqu'à la disparition du poète. Prévert a tout de suite encouragé son talent et, en travaillant sur l'œuvre du poète, elle a développé un style très personnel, vif, coloré, plein de fantaisie poétique.

Prosper aux enfers

Scénario de Jacques Prévert,
d'après une idée d'Alain de Saint-Ogan,
pour un dessin animé jamais réalisé,
avec, en marge,
des indications de mise en scène.

Paysage de neige…
dans le fond des montagnes
des sapins…
un premier plan une baraque
Au rendez-vous
des Ours Noirs – Bal
un ou deux ours noirs en tenue
de soirée entre neau
dans le nez, Prosper entre
dans le champ avec à son bras
une très jolie petite ourse…
Ils veulent entrer dans le bal
mais un ours noir passe la tête
à la fenêtre.

Musique
Piano mécanique

L'ours noir
Inutile d'insister mes petits amis,
Seuls les ours noirs sont admis !

Tête de Prosper
Dépit de la petite ourse

Un ours noir d'une carrure
imposante et d'une élégance
indéniable sort de la baraque
en fumant un gros cigare
il regarde la petite ourse, cligne
de l'œil et grogne, puis prenant
le premier ours noir il lui
arrache sa peau d'un seul coup
et s'approchant de la petite
ourse lui présente cette peau
comme un manteau
de fourrure…
Une seconde d'hésitation et la
petite ourse enfile le manteau…

Musique
et quelques phrases
très brèves

Prosper veut s'interposer,
le grand ours noir d'un geste
sec, lui arrache l'anneau
du nez, le tord en deux, faisant
ainsi deux bagues, passe l'une
à la petite l'autre à sa patte
et entre dans le bal
avec la petite…
Prosper seul…
la fenêtre s'ouvre
le grand ours passe la tête
et ricanant fait des ronds
avec la fumée
de son cigare…
puis referme la fenêtre.

Les ronds s'envolent
Prosper les regarde
un d'eux revient et se fixe
à son nez, puis redevient aussi
solide que l'anneau précédent.
Prosper désespéré...
quelques plans successifs de
Prosper attendant assis sur
une branche.
plans très brefs...
le paysage change, mais
Prosper reste en place
toujours désespéré...
(voir pour transformation des
saisons, extrêmement rapide)
Intérieur du bal
la petite ourse et le grand ours
noir n'arrêtent pas de danser...

Musique

l'arbre a poussé
Prosper est tout en haut,
il se lamente
mais soudain aperçoit
sur la branche voisine
de celle sur laquelle il est assis
une corde qui pend…
décision prise…
Il saisit la corde… en fait
un nœud autour de son cou…
Au bas de l'arbre
un diable sommeille
avec près de lui une valise…
la corde qui passe en haut
de la branche est sa queue…
Prosper cravaté de la queue
du diable se jette dans le vide…
réveillant le diable furieux…
Colère du diable
L'orage gronde
Il prend sa valise l'ouvre
et la place sous Prosper…

qui tombe dans la valise…
le diable siffle
– en haut dans le ciel,
nuages et éclairs –
un éclair entend le diable…
et vient se fixer sur la valise
dans la position réglementaire
de la fermeture éclair…
le diable ferme la valise,
s'approche de l'arbre et sonne…
la valise à la main
une porte d'ascenseur s'ouvre
et un petit diable
groom d'ascenseur salue…
le diable entre avec sa valise
l'arbre se referme
vue en coupe de la descente
de l'ascenseur aux enfers…

bruits d'orage
Musique

arrivée aux enfers
(l'enfer est installé comme
un grand palace)
Pancartes
chauffage central,
eau bouillante à tous les étages.
le grand directeur des diables
très lourd et très menaçant
est installé au bureau
de réception.

Le diable ouvre sa valise
et Prosper sort

ricanements
de deux ou trois diables.
Inquiétude de Prosper.

chœur

Le grand directeur
Qu'est-ce que c'est ?
Le diable à la valise
(répétant comme une formule
consacrée)
Prosper… ours… suicide…
cause chagrin d'amour !
Le grand directeur
Bien… faites voir.

Prosper
Où suis-je ?

Les diables
Il demande où il est… !

Un autre diable arrive
avec une valise.

Le diable sort un bras
de la valise… puis un pied…
une tête… et recolle le tout
le tout très vite
mais il se trompe…
les pieds à la place des mains
et vice versa…

Le grand directeur
Qu'est-ce que c'est ?
Le diable
Un dompteur mangé
par son lion.
Le grand directeur
Arrangez les morceaux.

Fuite de Prosper
poursuivi par le dompteur…
Le grand directeur
s'accroupit sur son bureau,
commence à rugir,
se change en lion et bondit.
Dans un grand couloir
de l'hôtel des enfers.
Prosper poursuivi
par le dompteur poursuivi par le lion
pousse des hurlements
d'épouvante…

Le dompteur
Où suis-je ?
(puis observant Prosper)
Tiens, un ours,
je vais te dresser sale bête.

… Soudain il s'arrête
se retourne et voit le lion
qui met sa tête
dans la bouche du dompteur
un diable surgit
lui pique les fesses
avec sa fourche et lui dit

Le diable
Et ce n'est pas fini !

Prosper reprend sa course et
pénètre dans une grande salle
avec des portes gardées par
des diables…

L'un d'eux,
très poli (en chantant)
Si vous voulez une chambre
avec vue sur la mer
Monsieur Prosper.

Prosper hésite
mais le diable le pique
il entre dans la chambre…
et ferme la porte derrière lui…
voit sur la table
une bouteille de bière…
l'ouvre…
un petit diable identique
à celui qui garde la porte
vole autour de lui
le pique
avec sa petite fourche…
(comme un moustique)

Prosper ouvre la fenêtre
et voit la mer, vagues
(truquage)
il referme tout mouillé
entr'ouvre une armoire
se cache dedans
l'armoire se sauve…
… Prosper dans l'armoire…
coupe
l'armoire s'arrête…
dans la campagne
effroyables hurlements
Prosper sort
et voit un troupeau de chiens
qui bêlent désespérément
derrière eux
des moutons leur mordent
les jambes en aboyant
l'armoire court derrière eux
et Prosper reste seul…
il veut s'enfuir…

Musique

des coups de feu…
il prend peur…
et court…
un gros lapin
arrive avec un fusil
Prosper s'agenouille
et le supplie de l'épargner

Le gros lapin
Tais-toi donc imbécile,
c'est la chasse présidentielle,
viens avec moi on va rigoler…

Prosper suit le gros lapin
ils arrivent derrière
un bouquet d'arbres…
assis sur des pliants :
un perdreau
un daim
un pigeon
le lapin prend place
autour d'eux
et derrière eux
des animaux
rechargent les fusils

truquage photo
vus de très loin
des hommes
en tenue de chasse
sont poursuivis
par des rabatteurs
à tête d'oiseau
les animaux aussi
tirent dessus…
les hommes tombent… morts…
les diables arrivent derrière
et les réveillent
à coups de fourche…
les hommes se sauvent
en poussant des petits cris…
Prosper affolé
le perdreau, le daim, le pigeon
et le lapin s'enfuient
en jouant à saute-mouton…

suite Musique

Prosper encore tout seul
l'armoire à glace
s'approche de lui
Prosper se voit dans la glace
avec des cornes sur la tête,
une grande queue noire,
trois anneaux dans le nez
et une fourche
il est très fier et fait le beau…
soudain le diable
qui lui ressemble
comme un frère
sort de la glace
et se jette sur lui,
lui piquant les fesses
avec une grande méchanceté…

(attributs qu'en réalité il ne
possède pas)

… Prosper poursuivi
ouvre une porte…se précipite…
s'arrête et lit sur le mur :
« Vue sur la terre »
à côté du mur une longue-vue…
il regarde et voit
(trucage photo)
la petite maison
du bal des ours noirs…
avec la même musique
qu'au début.
Un grand diable est derrière lui
avec un fouet et le frappe,
lui désignant du doigt
le mur sur lequel il est écrit :
« Vue sur la terre interdite ! »
Prosper fou de rage…
lui arrache le fouet…
et le fouette…
le diable hurle grâce

Prosper
Ho !!!
Oh. Oh. Oh.

Prosper s'arrête
le diable lui donne une clef…
et se sauve

Le diable, hurlant
Arrêtez, arrêtez de taper
je vous donnerai la clef.

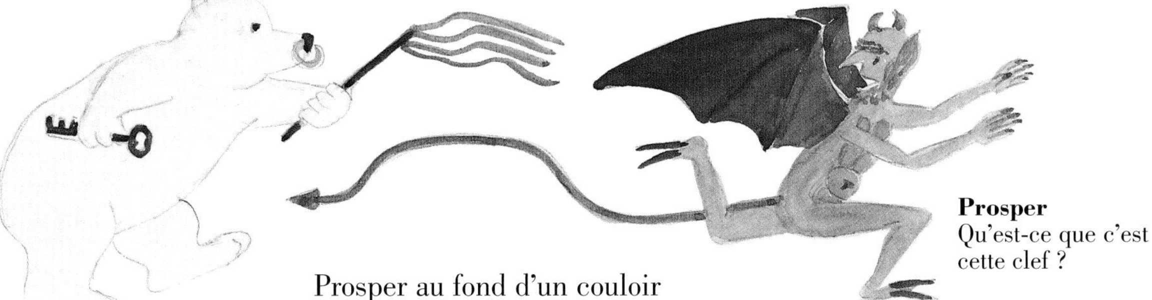

Prosper
Qu'est-ce que c'est
cette clef ?

Prosper au fond d'un couloir
vu de très loin et criant

Le diable vu de très loin
se retourne en courant.

Le diable
C'est la clef des champs
Prosper
Où est la serrure ?
Le diable, de très loin
Je ne sais pas…

Prosper courant derrière lui.

Prosper met la clef
dans sa poche revolver
et son fouet à la main
reprend son chemin…
s'arrête devant une porte
(les portes devront
être semblables)

Pancarte
« Vue sur le paradis
Interdit aux damnés
sous peine de sanctions immédiates,
supplices variés etc. »

Prosper pousse la porte…
entre… une fenêtre…
il ouvre et sort.
Des nuages
sur les nuages
des échafaudages
des anges gâchent du plâtre…
d'autres scient des poutres…
deux anges volettent sur place
tenant une grande pancarte
« Paradis fermé
pour cause de réparations ».

Prosper crie
Où est la serrure ?
Chœur des anges
Nous n'en savons rien
et nous n'en dirons pas plus,
nous sommes des anges,
des anges et rien de plus.

PARADIS FERMÉ

Furieux Prosper referme
la fenêtre et se retournant
aperçoit le grand directeur
menaçant.

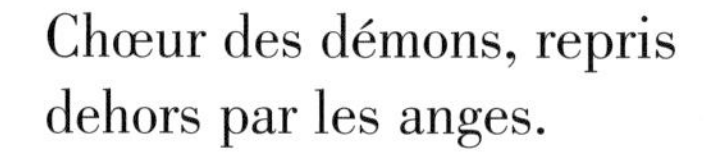

Chœur des démons, repris
dehors par les anges.

Prosper les regarde, il tient
toujours son fouet…

il lève son fouet,
tous les diables se sauvent…
Le grand directeur aussi
Prosper court derrière lui…

Le grand directeur
Votre compte est bon mon petit ami
non seulement vous vous suicidez,
ce qui n'est pas permis,
mais vous venez
pour faire du scandale ici.
Enfer et damnation
cet ours est un polisson.

Prosper
Où est la serrure,
il y a trop longtemps que cela dure,
où est-elle cette serrure ?

Un grand couloir dans la nuit,
oiseaux de nuit
éclairant la scène…
Une porte de fer,
le grand directeur se précipite,
Prosper aussi… la queue du
diable est prise dans la porte…
Prosper appuie…
la porte est vitrée…
à travers la vitre on voit la tête
du grand directeur qui hurle…

le diable lui montrant la serrure

Enfer
Directeur général
Prosper
… la serrure
Le diable
… lâchez-moi
Prosper
… la serrure…
Le diable
La voilà
Prosper
Donne…

Le diable s'accroupit
et soufflant le feu
avec sa bouche
autour de la porte
la découpe comme
avec un chalumeau.
la serrure tombe
Prosper la ramasse
et lâche la fourche
le grand directeur s'enfuit
en hurlant…
…
Prosper reste seul,
autour de lui
des oiseaux de proie
à la tête inquiétante
volent et poussent des cris…
Prosper prend la clef, la place
dans la serrure et ouvre…
… se trouvant sur une
montagne avec au-dessus de
lui des étoiles…
vu de loin il est tout petit
dans la nuit…
les étoiles…
vue de Prosper appelant

Musique

Prosper
La grande ourse !
et le grand ours !

Étoiles au ciel
la grande ourse tombe
et en arrivant prend la forme
d'une grande ourse.
Elle arrive près de Prosper
tous les deux crient

Les deux
Oh la petite ourse.

Les trois (criant)
Le chariot, et le chariot.

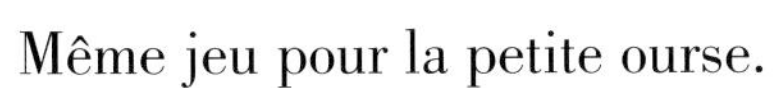

Même jeu pour la petite ourse.

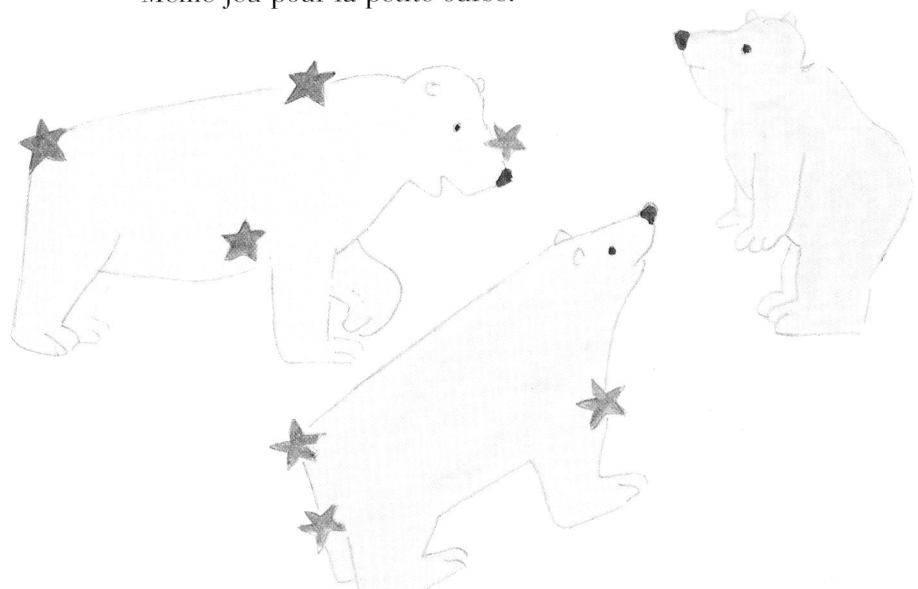

le chariot tombe du ciel
la grande, la petite ourse
s'attellent…
Prosper claque son fouet
et l'attelage démarre.
court trajet vu de très loin…
…

le jour se lève…
même décor qu'au début
Au rendez-vous des Ours Noirs…

Même musique

le chariot s'arrête…
et Prosper descend…
(pots de peinture)
Il écrit à la craie…
« Au rendez-vous des Ours Blancs ! »

la petite ourse sort et le reconnaît…

il l'embrasse…

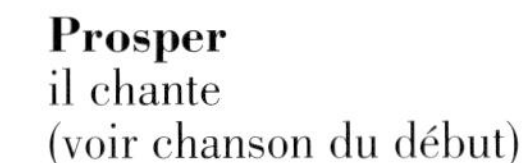

Prosper
il chante
(voir chanson du début)

le grand ours noir sort à son tour,
il titube légèrement
et s'avance… menaçant
mais Prosper lui montre la pancarte
Au rendez-vous des Ours Blancs
puis il entre embrassant la petite
l'autre ours regarde
hoche la tête et dit, un peu saoûl

L'ours noir
Oh, je crois que je me suis trompé
de bal, excusez-moi…

Puis il appelle.

Il monte.
La grande ourse baisse le petit drapeau
et le chariot s'éloigne…
… il disparaît
dans les nuages.

L'ours noir
Taxi…
La grande ourse
Voilà la petite ourse

Happy End

Tant pis

Faites entrer le chien couvert de boue
Tant pis pour ceux qui n'aiment ni les chiens ni la boue
Faites entrer le chien entièrement sali par la boue
Tant pis pour ceux qui n'aiment pas la boue
Qui ne comprennent pas
Qui ne savent pas le chien
Qui ne savent pas la boue
Faites entrer le chien
Et qu'il se secoue
On peut laver le chien
Et l'eau aussi on peut la laver
On ne peut pas laver ceux
Ceux qui disent qu'ils aiment les chiens
A condition que…
Le chien couvert de boue est propre
La boue est propre
L'eau est propre aussi quelquefois
Ceux qui disent à condition que…
Ceux-là ne sont pas propres
Absolument pas.

FATRAS

d'après Robert Doisneau 1955

Chanson pour chanter à tue-tête et à cloche-pied

Un immense brin d'herbe
Une toute petite forêt
Un ciel tout à fait vert
Et des nuages en osier
Une église dans une malle
La malle dans un grenier

Le grenier dans une cave
Sur la tour d'un château
Le château à cheval
À cheval sur un jet d'eau
Le jet d'eau dans un sac
À côté d'une rose
La rose d'un fraisier
Planté dans une armoire
Ouverte sur un champ de blé
Un champ de blé couché

Dans les plis d'un miroir
Sous les ailes d'un tonneau
Le tonneau dans un verre
Dans un verre à Bordeaux
Bordeaux sur une falaise
Où rêve un vieux corbeau
Dans le tiroir d'une chaise
D'une chaise en papier
En beau papier de pierre

Soigneusement taillé
Par un tailleur de verre
Dans un petit gravier
Tout au fond d'une mare
Sous les plumes d'un mouton
Nageant dans un lavoir
À la lueur d'un lampion
Éclairant une mine

Une mine de crayons
Derrière une colline
Gardée par un dindon
Un gros dindon assis
Sur la tête d'un jambon
Un jambon de faïence
Et puis de porcelaine

Qui fait le tour de France
À pied sur une baleine
Au milieu de la lune
Dans un quartier perdu
Perdu dans une carafe
Une carafe d'eau rougie
D'eau rougie à la flamme

À la flamme d'une bougie
Sous la queue d'une horloge
Tendue de velours rouge
Dans la cour d'une école
Au milieu d'un désert
Où de grandes girafes
Et des enfants trouvés
Chantent chantent sans cesse

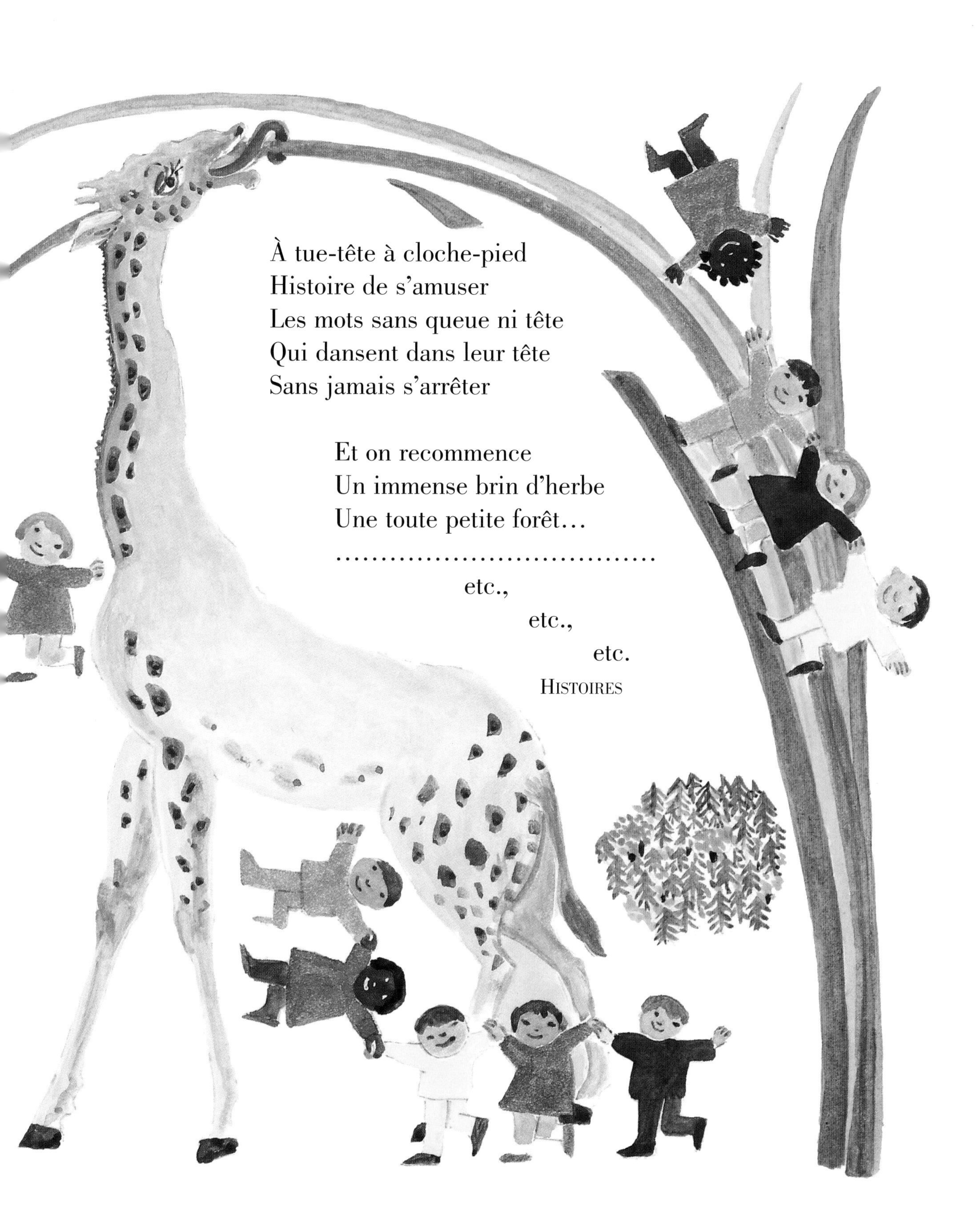

À tue-tête à cloche-pied
Histoire de s'amuser
Les mots sans queue ni tête
Qui dansent dans leur tête
Sans jamais s'arrêter

Et on recommence
Un immense brin d'herbe
Une toute petite forêt…
……………………………………
etc.,
etc.,
etc.

HISTOIRES

Chanson des escargots qui vont à l'enterrement

À l'enterrement d'une feuille morte
Deux escargots s'en vont

Ils ont la coquille noire
Du crêpe autour des cornes

Ils s'en vont dans le noir
Un très beau soir d'automne

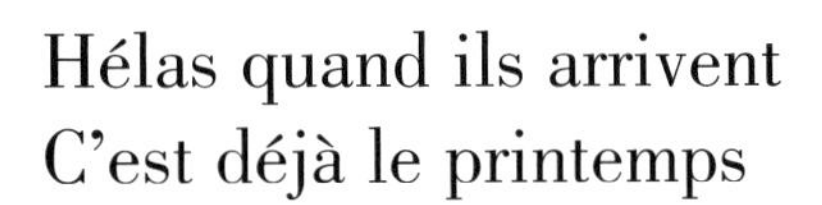

Hélas quand ils arrivent
C'est déjà le printemps

Les feuilles qui étaient mortes
Sont toutes ressuscitées

Et les deux escargots
Sont très désappointés

Mais voilà le soleil
Le soleil qui leur dit
Prenez prenez la peine

La peine de vous asseoir
Prenez un verre de bière
Si le cœur vous en dit

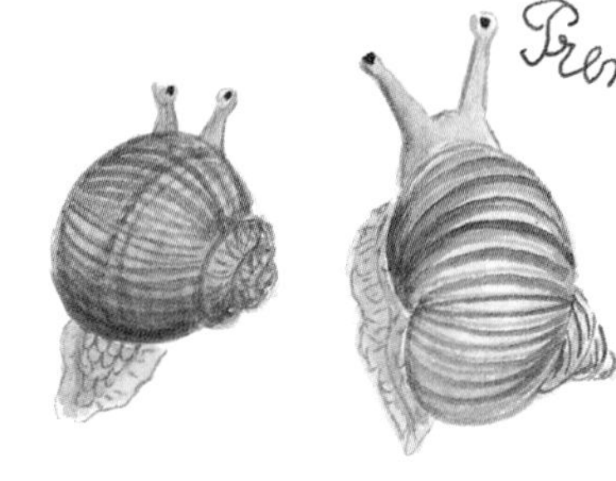

Prenez si ça vous plaît
L'autocar pour Paris
Il partira ce soir
Vous verrez du pays

Mais ne prenez pas le deuil
C'est moi qui vous le dis

Ça noircit le blanc de l'œil
Et puis ça enlaidit
Les histoires de cercueils
C'est triste et pas joli

Reprenez vos couleurs
Les couleurs de la vie

Alors toutes les bêtes
Les arbres et les plantes
Se mettent à chanter

À chanter à tue-tête
La vraie chanson vivante
La chanson de l'été

Et tout le monde de boire
Tout le monde de trinquer
C'est un très joli soir
Un joli soir d'été

Et les deux escargots
S'en retournent chez eux
Ils s'en vont très émus

Ils s'en vont très heureux
Comme ils ont beaucoup bu
Ils titubent un p'tit peu

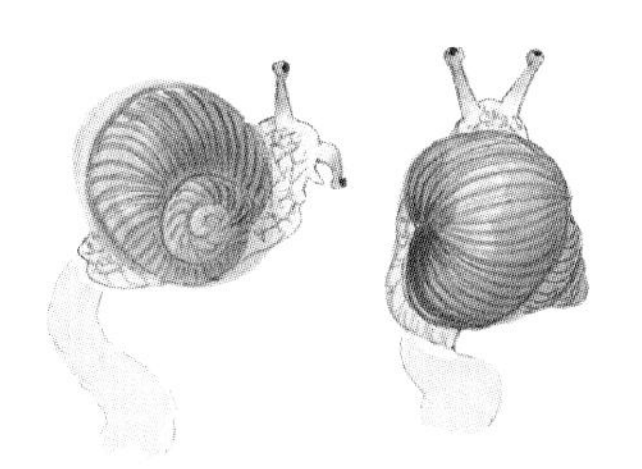

Mais là-haut dans le ciel
La lune veille sur eux.

PAROLES

Chanson pour les enfants l'hiver

Dans la nuit de l'hiver
galope un grand homme blanc
galope un grand homme blanc

C'est un bonhomme de neige
avec une pipe en bois

un grand bonhomme de neige
poursuivi par le froid

Il arrive au village
il arrive au village
voyant de la lumière
le voilà rassuré

Dans une petite maison
il entre sans frapper
Dans une petite maison
il entre sans frapper

et pour se réchauffer
et pour se réchauffer
s'assoit sur le poêle rouge
et d'un coup disparaît

ne laissant que sa pipe
au milieu d'une flaque d'eau
ne laissant que sa pipe
et puis son vieux chapeau...

HISTOIRES

Les prodiges de la liberté

Entre les dents d'un piège
La patte d'un renard blanc

Et du sang sur la neige
Le sang du renard blanc

Et des traces sur la neige
Les traces du renard blanc

Qui s'enfuit sur trois pattes
Dans le soleil couchant

Avec entre les dents
Un lièvre encore vivant.

HISTOIRES

Le dromadaire mécontent

Un jour, il y avait un jeune dromadaire qui n'était pas content du tout.

La veille, il avait dit à ses amis : «Demain, je sors avec mon père et ma mère, nous allons entendre une conférence, voilà comme je suis, moi !»

Et les autres avaient dit : «Oh, oh, il va entendre une conférence, c'est merveilleux», et lui n'avait pas dormi de la nuit tellement il était impatient et voilà qu'il n'était pas content parce que la conférence n'était pas du tout ce qu'il avait imaginé : il n'y avait pas de musique et il était déçu, il s'ennuyait beaucoup, il avait envie de pleurer.

Depuis une heure trois quarts un gros monsieur parlait. Devant le gros monsieur, il y avait un pot à eau et un verre à dents sans la brosse et de temps en temps, le monsieur versait de l'eau dans le verre, mais il ne se lavait jamais les dents et, visiblement irrité, il parlait d'autre chose, c'est-à-dire des dromadaires et des chameaux.

Le jeune dromadaire souffrait de la chaleur, et puis sa bosse le gênait beaucoup ; elle frottait contre le dossier du fauteuil ; il était très mal assis, il remuait.

Alors sa mère lui disait : «Tiens-toi tranquille, laisse parler le monsieur», et elle lui pinçait la bosse. Le jeune dromadaire avait de plus en plus envie de pleurer, de s'en aller…

Toutes les cinq minutes, le conférencier répétait : «Il ne faut surtout pas confondre les dromadaires avec les chameaux, j'attire, mesdames, messieurs et chers dromadaires, votre attention sur ce fait :

le chameau
a deux bosses,
mais le dromadaire
n’en a qu’une !»

Tous les gens de la salle disaient : «Oh, oh, très intéressant», et les chameaux, les dromadaires, les hommes, les femmes et les enfants prenaient des notes sur leur petit calepin.

Et puis le conférencier recommençait : «Ce qui différencie les deux animaux, c'est que

le dromadaire

n'a qu'une bosse,

tandis que, chose étrange et utile à savoir,

le chameau

en a deux...»

À la fin, le jeune dromadaire en eut assez et se précipitant sur l'estrade, il mordit le conférencier :

«Chameau !» dit le conférencier furieux.

Et tout le monde dans la salle criait :

«Chameau, sale chameau, sale chameau !»

Pourtant, c'était un dromadaire et il était très propre.

HISTOIRES

40

Au hasard des oiseaux

J'ai appris très tard à aimer les oiseaux
je le regrette un peu
mais maintenant tout est arrangé
on s'est compris
ils ne s'occupent pas de moi
je ne m'occupe pas d'eux
je les regarde
je les laisse faire
tous les oiseaux font de leur mieux
ils donnent l'exemple
pas l'exemple comme par exemple
Monsieur Glacis qui s'est remarquablement
courageusement conduit pendant la guerre ou
l'exemple du petit Paul qui était si pauvre
et si beau et tellement honnête avec ça et qui est devenu
plus tard le grand Paul si riche si vieux si honorable
et si affreux et si avare et si charitable et si pieux

ou par exemple cette vieille servante qui eut
une vie et une mort exemplaires jamais
de discussions pas ça l'ongle claquant sur la dent
pas ça de discussion avec monsieur
ou avec madame au sujet de cette affreuse
question des salaires
non
les oiseaux donnent l'exemple
l'exemple comme il faut
exemple des oiseaux
exemple les plumes les ailes le vol des oiseaux
exemple le nid les voyages et les chants des oiseaux
exemple la beauté des oiseaux
exemple le cœur des oiseaux
la lumière des oiseaux.

PAROLES

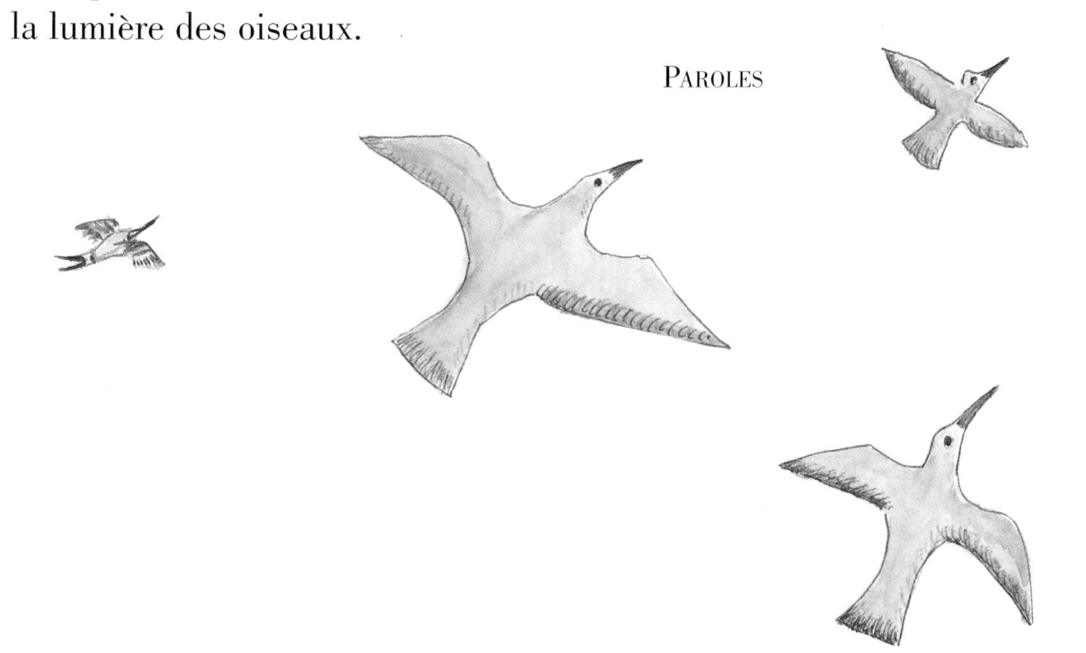

La Seine a rencontré Paris

(EXTRAIT)

Qui est là
toujours là dans la ville
et qui pourtant sans cesse arrive
et qui pourtant sans cesse s'en va

C'est un fleuve
répond un enfant
un devineur de devinettes
Et puis l'œil brillant il ajoute
Et le fleuve s'appelle la Seine
quand la ville s'appelle Paris
et la Seine c'est comme une personne

Des fois elle court elle va très vite
elle presse le pas quand tombe le soir
Des fois au printemps elle s'arrête
et vous regarde comme un miroir
et elle pleure si vous pleurez
ou sourit pour vous consoler
et toujours elle éclate de rire
quand arrive le soleil d'été

Choses et autres

Être ange…

être ange
c'est étrange
dit l'ange
être âne
c'est étrâne
dit l'âne
Cela ne veut rien dire
dit l'ange en haussant les ailes

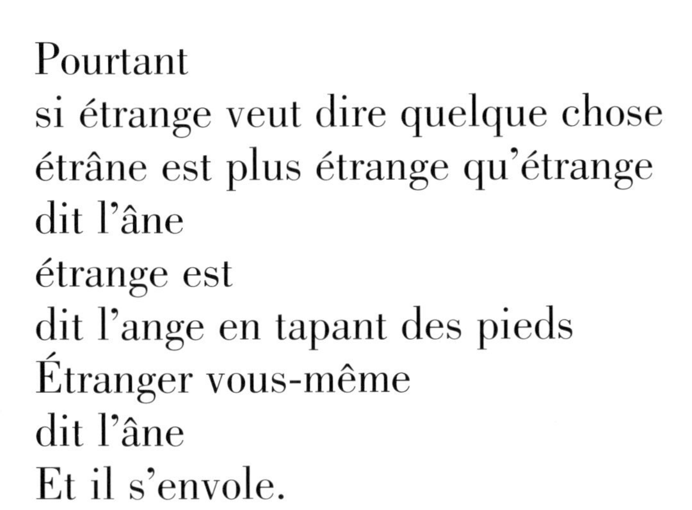

Pourtant
si étrange veut dire quelque chose
étrâne est plus étrange qu'étrange
dit l'âne
étrange est
dit l'ange en tapant des pieds
Étranger vous-même
dit l'âne
Et il s'envole.

FATRAS

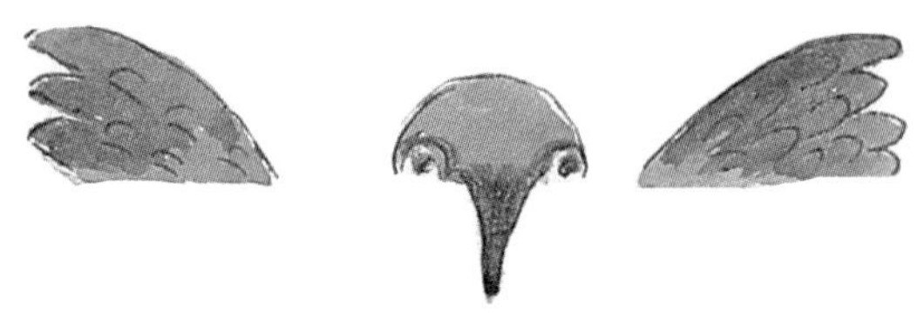

Refrains enfantins

DES PETITES FILLES COURENT DANS LES COULOIRS DU THÉÂTRE, CHANTANT.

Ouh ouh
ouh ouh
C'est la chanson du loup-garou
Où où
quand quand
comment comment
pourquoi pourquoi
Ouh ouh
ouh ouh
C'est la chanson du loup-garou
Il pleut Il pleut
Il fait beau
Il fait du soleil
Il est tôt
Il se fait tard

Il
Il
Il
toujours Il
Toujours Il qui pleut et qui neige
Toujours Il qui fait du soleil
Toujours Il
Pourquoi pas Elle
Jamais Elle
Pourtant Elle aussi
souvent se fait belle !

SPECTACLE

L'école des beaux-arts

Dans une boîte de paille tressée
Le père choisit une petite boule de papier
Et il la jette
Dans la cuvette
Devant ses enfants intrigués
Surgit alors
Multicolore
La grande fleur japonaise
Le nénuphar instantané
Et les enfants se taisent
émerveillés
Jamais plus tard dans leur souvenir
Cette fleur ne pourra se faner
Cette fleur subite
Faite pour eux
À la minute
Devant eux.

PAROLES

Soyez polis
(EXTRAIT)

La terre aime le soleil
Et elle tourne
Pour se faire admirer
Et le soleil la trouve belle
Et il brille sur elle
Et quand il est fatigué
Il va se coucher
Et la lune se lève

HISTOIRES

Vous allez voir ce que vous allez voir

Une fille nue nage dans la mer
Un homme barbu marche sur l'eau
Où est la merveille des merveilles
Le miracle annoncé plus haut ?

PAROLES

Immense et rouge

Immense et rouge
Au-dessus du Grand Palais
Le soleil d'hiver apparaît
Et disparaît
Comme lui mon cœur va disparaître
Et tout mon sang va s'en aller
S'en aller à ta recherche
Mon amour
Ma beauté
Et te trouver
Là où tu es.

PAROLES

Chanson

Quel jour sommes-nous
Nous sommes tous les jours
Mon amie
Nous sommes toute la vie
Mon amour
Nous nous aimons et nous vivons
Nous vivons et nous nous aimons
Et nous ne savons pas ce que c'est que la vie
Et nous ne savons pas ce que c'est que le jour
Et nous ne savons pas ce que c'est que l'amour.

PAROLES

Les animaux ont des ennuis

(EXTRAIT)

À CHRISTIANE VERGER

Le pauvre crocodile n'a pas de C cédille
on a mouillé les L de la pauvre grenouille
le poisson scie
a des soucis
le poisson sole
ça le désole

Mais tous les oiseaux ont des ailes
même le vieil oiseau bleu
même la grenouille verte
elle a deux L avant l'E

Laissez les oiseaux à leur mère
laissez les ruisseaux dans leur lit
laissez les étoiles de mer
sortir si ça leur plaît la nuit

HISTOIRES

Drôle d'immeuble

(EXTRAIT)

Dans une chambre au sixième
un coquillage est posé sur la table
soudain il se met à chanter
L'homme est réveillé par le bruit de la mer
il voit le coquillage
il lui sourit
il veut le prendre avec les mains
mais le coquillage s'enfuit

LA PLUIE ET LE BEAU TEMPS

Quartier libre

J'ai mis mon képi dans la cage
et je suis sorti avec l'oiseau sur la tête
Alors
on ne salue plus
a demandé le commandant
Non
on ne salue plus
a répondu l'oiseau
Ah bon
excusez-moi je croyais qu'on saluait
a dit le commandant
Vous êtes tout excusé tout le monde peut se tromper
a dit l'oiseau.

PAROLES

Chanson du mois de mai

L'âne le roi et moi
Nous serons morts demain
L'âne de faim
Le roi d'ennui
Et moi d'amour

Un doigt de craie
Sur l'ardoise des jours
Trace nos noms
Et le vent dans les peupliers
Nous nomme
Âne Roi Homme

Soleil de Chiffon noir
Déjà nos noms sont effacés
Eau fraîche des Herbages
Sable des Sabliers
Rose du Rosier rouge
Chemin des Écoliers

L'âne le roi et moi
Nous serons morts demain
L'âne de faim
Le roi d'ennui
Et moi d'amour
Au mois de mai

La vie est une cerise
La mort est un noyau
L'amour un cerisier.

HISTOIRES

La chèvre de monsieur Pablo

Mon maître ne m'a rien appris, il m'a seulement modelée, caressée
et ici il me laisse aller à ma guise sur le papier glacé.

Même quand il ne fait rien, il travaille jour et nuit et n'a jamais une
minute à lui, il n'a pas le temps, il n'a pas l'heure et conjugue sa vie au
futur antérieur, au passé infini.

Où qu'il demeure, il garde grande ouverte sa fenêtre qui donne sur
la mer, sur la terre, sur la vie.

Il regarde le paysage, Antibes ou Guernica et les femmes de partout,
la lumière de toujours ou la Grèce d'autrefois.

Tous ces paysages, il les voit, et les mains dans les poches, à sa guise,
à sa tristesse ou à sa gaieté soudaine, il les modifie.

Et puis il referme la fenêtre et signe sur le chambranle.

Le paysage et tout cela est encadré et tout cela on l'emporte
dans un musée.

Je l'ai vu faire, c'est comme ça qu'il fait.

FATRAS

Le chat et l'oiseau

Un village écoute désolé
Le chant d'un oiseau blessé
C'est le seul oiseau du village
Et c'est le seul chat du village
Qui l'a à moitié dévoré
Et l'oiseau cesse de chanter
Le chat cesse de ronronner
Et de se lécher le museau

Et le village fait à l'oiseau
De merveilleuses funérailles
Et le chat qui est invité
Marche derrière le petit cercueil de paille
Où l'oiseau mort est allongé
Porté par une petite fille
Qui n'arrête pas de pleurer

Si j'avais su que cela te fasse tant de peine
Lui dit le chat
Je l'aurais mangé tout entier
Et puis je t'aurais raconté
Que je l'avais vu s'envoler

S'envoler jusqu'au bout du monde
Là-bas où c'est tellement loin
Que jamais on n'en revient
Tu aurais eu moins de chagrin
Simplement de la tristesse et des regrets

Il ne faut jamais faire les choses à moitié.

HISTOIRES

L'âne dormant

C'est un âne qui dort
Enfants, regardez-le dormir
Ne le réveillez pas
Ne lui faites pas de blagues
Quand il ne dort pas,
il est très souvent malheureux

Il ne mange pas tous les jours.
On oublie de lui donner à boire.
Et puis on tape dessus.
Regardez-le
Il est plus beau que les statues
qu'on vous dit d'admirer et qui vous ennuient.

Il est vivant, il respire,
confortablement installé
dans son rêve.

Les grandes personnes disent que la poule
rêve de grain et l'âne d'avoine.

Les grandes personnes disent ça
pour dire quelque chose,
elles feraient mieux de s'occuper
de leurs rêves à elles,
de leurs petits cauchemars
personnels.

Sur l'herbe à côté de sa tête,
il y a deux plumes. S'il les a vues
avant de s'endormir il rêve peut-être
qu'il est oiseau et qu'il vole.

Ou peut-être il rêve d'autre chose.
Par exemple qu'il est à l'école des garçons,
caché dans l'armoire aux cartons à dessin.

Il y a un petit garçon
qui ne sait pas faire
son problème.
Alors le maître lui dit :
Vous êtes un âne, Nicolas !
C'est désastreux
pour Nicolas.
Il va pleurer.
Mais l'âne sort de sa cachette.
Le maître ne le voit pas.
Et l'âne fait le problème du petit garçon.
Le petit garçon va porter le problème
au maître, et le maître dit :
C'est très bien, Nicolas !

Alors l'âne et Nicolas
rient tout doucement aux éclats,
mais le maître ne les entend pas.

Et si l’âne ne rêve pas ça
C’est qu’il rêve autre chose.
Tout ce qu’on peut savoir,
c’est qu’il rêve.

Tout le monde rêve.

SOLEIL DE NUIT

Le gardien du phare aime trop les oiseaux

Des oiseaux par milliers volent vers les feux
par milliers ils tombent, par milliers ils se cognent

par milliers aveuglés, par milliers assommés
par milliers ils meurent

Le gardien ne peut supporter des choses pareilles
les oiseaux il les aime trop

Alors il dit tant pis je m'en fous !
Et il éteint tout

Au loin un cargo fait naufrage
un cargo venant des îles
un cargo chargé d'oiseaux
des milliers d'oiseaux des îles
des milliers d'oiseaux noyés.

HISTOIRES

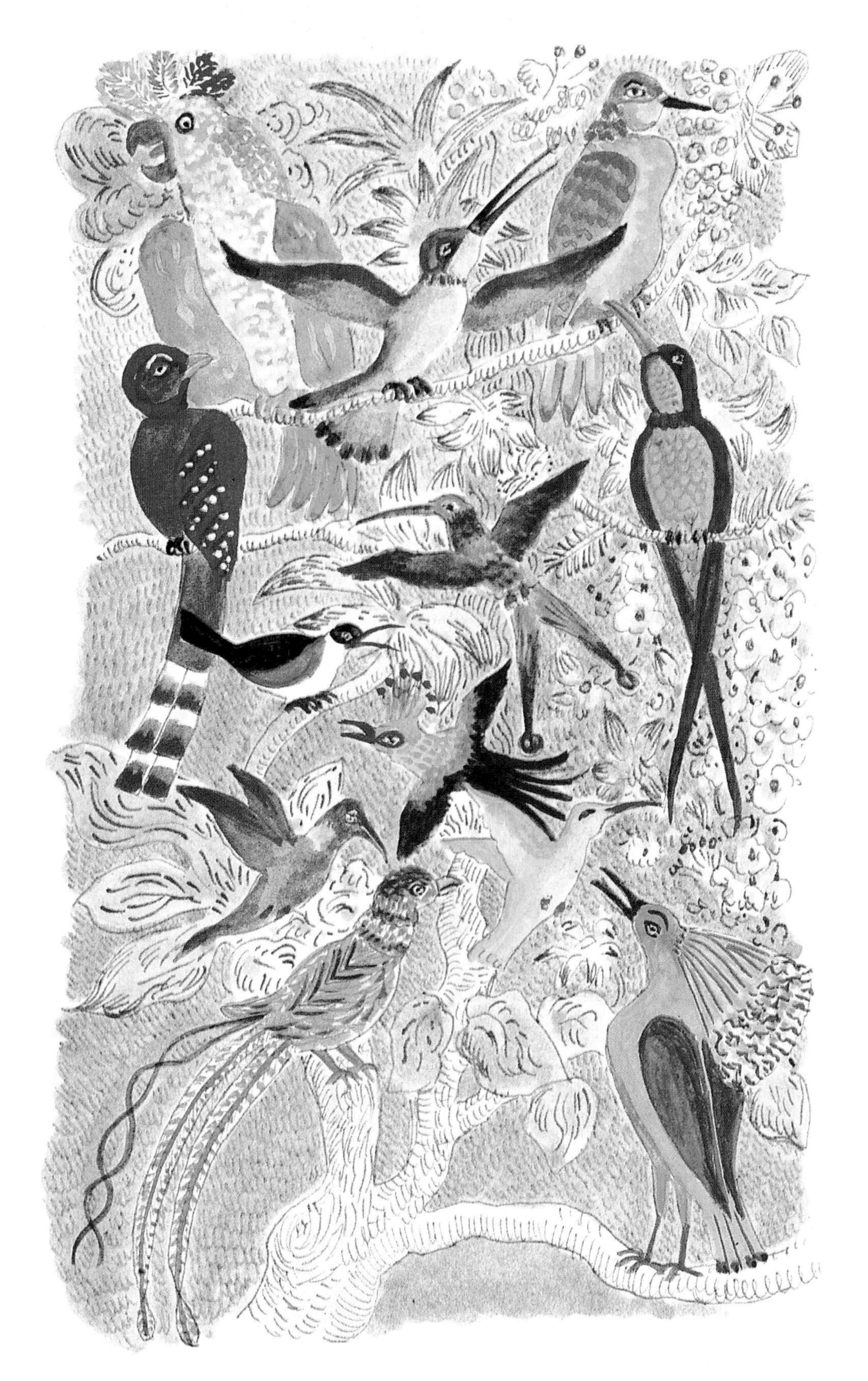

La bonne aventure

– Et quand je serai grande, dit la petite fille.
– Tu resteras petite, dit le chat.
– Alors je serai naine, dit la petite fille inquiète.
– Non, dit le chat, tu seras reine, reine de tes rêves et tu deviendras une femme en restant une enfant.
– Je serai belle, dit la petite fille.
– Oui, dit le chat.
– Vous dites ça pour me faire plaisir, dit la petite fille.
– Non, dit le chat, mais cela te sera utile.
– Merci chat, je reviendrai l'année prochaine, dit la petite fille.
– L'année prochaine ! Tu vois, c'est tout simple, toi aussi tu prédis l'avenir, dit le chat.

IMAGINAIRES

Chanson du vitrier

Comme c'est beau
ce qu'on peut voir comme ça
à travers le sable à travers le verre
à travers les carreaux
tenez regardez par exemple
comme c'est beau
ce bûcheron
là-bas au loin
qui abat un arbre
pour faire des planches
pour le menuisier
qui doit faire un grand lit
pour la petite marchande de fleurs
qui va se marier
avec l'allumeur de réverbères
qui allume tous les soirs les lumières
pour que le cordonnier puisse voir clair
en réparant les souliers du cireur
qui brosse ceux du rémouleur
qui affûte les ciseaux du coiffeur
qui coupe le ch'veu au marchand d'oiseaux
qui donne ses oiseaux à tout le monde
pour que tout le monde soit de bonne
humeur.

HISTOIRES

Chanson des cireurs de souliers

Aujourd'hui l'homme blanc
Ne s'étonne plus de rien
Et quand il jette à l'enfant noir
Au gentil cireur de Broadway
Une misérable pièce de monnaie
Il ne prend pas la peine de voir
Les reflets du soleil miroitant à ses pieds
Et comme il va se perdre
Dans la foule de Broadway
Ses pas indifférents emportent la lumière
Que l'enfant noir a prise au piège
En véritable homme du métier
La fugitive petite lumière
Que l'enfant noir aux dents de neige
A doucement apprivoisée
Avec une vieille brosse
Avec un vieux chiffon
Avec un grand sourire
Avec une petite chanson
La chanson qui raconte l'histoire
L'histoire de Tom le grand homme noir
L'empereur des cireurs de souliers
Dans le ciel tout noir de Harlem
L'échoppe de Tom est dressée

Tout ce qui brille dans le quartier noir
C'est lui qui le fait briller
Avec ses grandes brosses
Avec ses vieux chiffons
Avec son grand sourire
Et avec ses chansons
C'est lui qui passe au blanc d'argent
Les vieilles espadrilles de la lune
C'est lui qui fait reluire
Les souliers vernis de la nuit
Et qui dépose devant chaque porte
Au Grand Hôtel du Petit Jour
Les chaussures neuves du matin
Et c'est lui qui astique les cuivres
De tous les orchestres de Harlem
C'est lui qui chante la joie de vivre
La joie de faire l'amour et la joie de danser
Et puis la joie d'être ivre
Et la joie de chanter
Mais la chanson du Noir
L'homme blanc n'y entend rien
Et tout ce qu'il entend
C'est le bruit dans sa main
Le misérable bruit d'une pièce de monnaie
Qui saute sans rien dire
Qui saute sans briller
Tristement sur un pied.

HISTOIRES

Page d'écriture

Deux et deux quatre
quatre et quatre huit
huit et huit font seize…
Répétez ! dit le maître
Deux et deux quatre
quatre et quatre huit
huit et huit font seize.

Mais voilà l'oiseau-lyre
qui passe dans le ciel
l'enfant le voit
l'enfant l'entend
l'enfant l'appelle :
Sauve-moi
joue avec moi
oiseau !
Alors l'oiseau descend
et joue avec l'enfant
Deux et deux quatre…
Répétez ! dit le maître

et l'enfant joue
l'oiseau joue avec lui...
Quatre et quatre huit
huit et huit font seize
et seize et seize qu'est-ce qu'ils font ?

Ils ne font rien seize et seize
et surtout pas trente-deux
de toute façon
et ils s'en vont.
Et l'enfant a caché l'oiseau
dans son pupitre

et tous les enfants
entendent sa chanson
et tous les enfants
entendent la musique
et huit et huit à leur tour s'en vont
et quatre et quatre et deux et deux
à leur tour fichent le camp
et un et un ne font ni une ni deux
un à un s'en vont également.
Et l'oiseau-lyre joue
et l'enfant chante
et le professeur crie :
Quand vous aurez fini de faire le pitre !

Mais tous les autres enfants
écoutent la musique
et les murs de la classe
s'écroulent tranquillement.
Et les vitres redeviennent sable

l'encre redevient eau
les pupitres redeviennent arbres
la craie redevient falaise
le porte-plume redevient oiseau.

PAROLES

Le cancre

Il dit non avec la tête
mais il dit oui avec le cœur
il dit oui à ce qu'il aime
il dit non au professeur

il est debout
on le questionne
et tous les problèmes sont posés

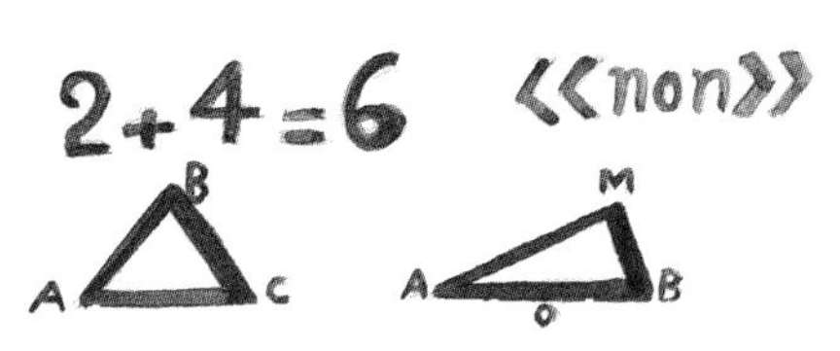

soudain le fou rire le prend
et il efface tout
les chiffres et les mots
les dates et les noms
les phrases et les pièges

hou... ou...
hou
hou...
hou... ou...

et malgré les menaces du maître
sous les huées des enfants prodiges
avec des craies de toutes les couleurs
sur le tableau noir du malheur
il dessine le visage du bonheur.

PAROLES

En sortant de l'école

En sortant de l'école
nous avons rencontré
un grand chemin de fer
qui nous a emmenés
tout autour de la terre
dans un wagon doré

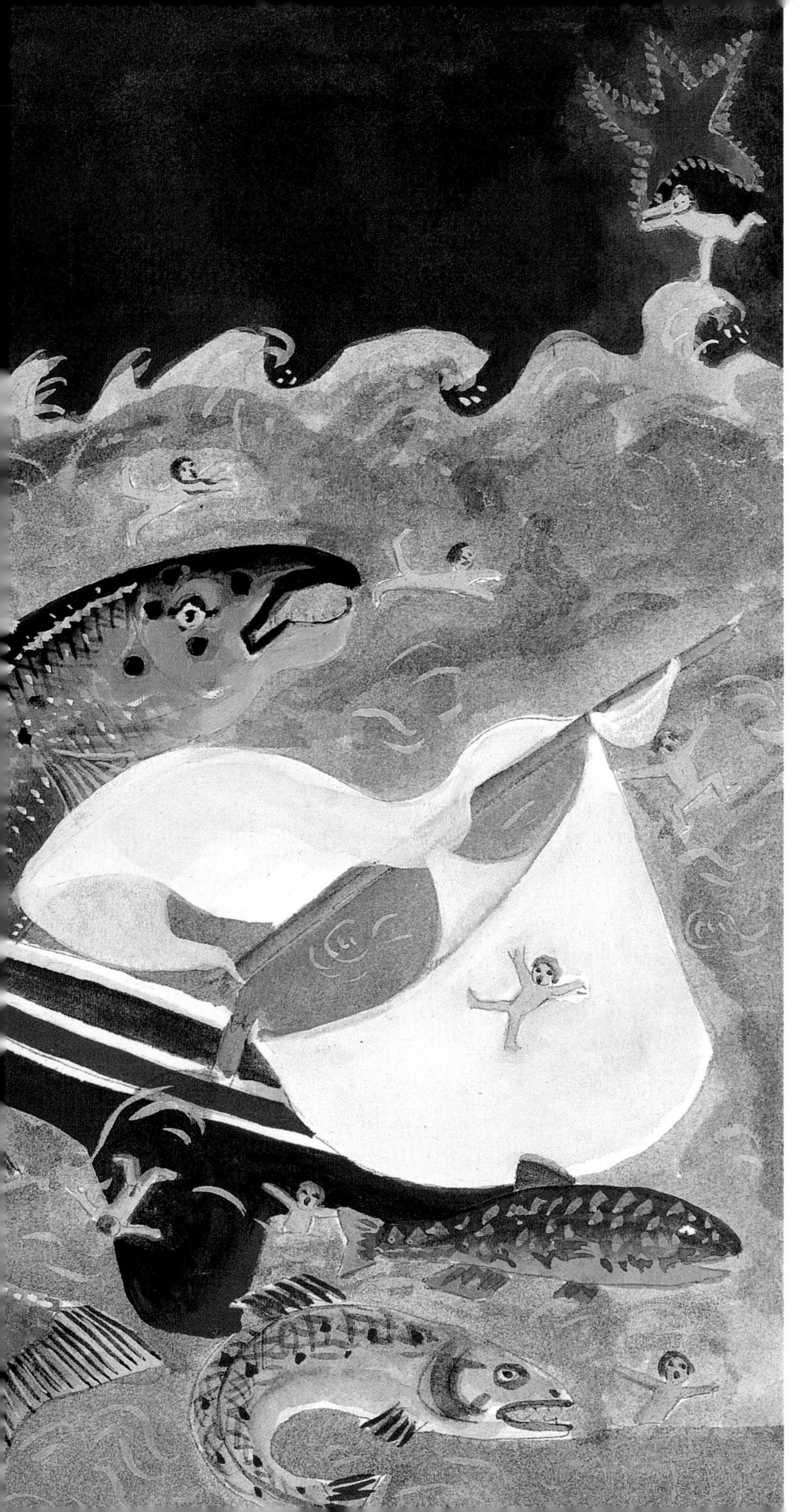

Tout autour de la terre
nous avons rencontré
la mer qui se promenait
avec tous ses coquillages
ses îles parfumées
et puis ses beaux naufrages
et ses saumons fumés
Au-dessus de la mer
nous avons rencontré
la lune et les étoiles
sur un bateau à voiles
partant pour le Japon

et les trois mousquetaires des cinq doigts de la main
tournant la manivelle d'un petit sous-marin
plongeant au fond des mers
pour chercher des oursins

Revenant sur la terre
nous avons rencontré
sur la voie de chemin de fer
une maison qui fuyait
fuyait tout autour de la terre
fuyait tout autour de la mer
fuyait devant l'hiver
qui voulait l'attraper

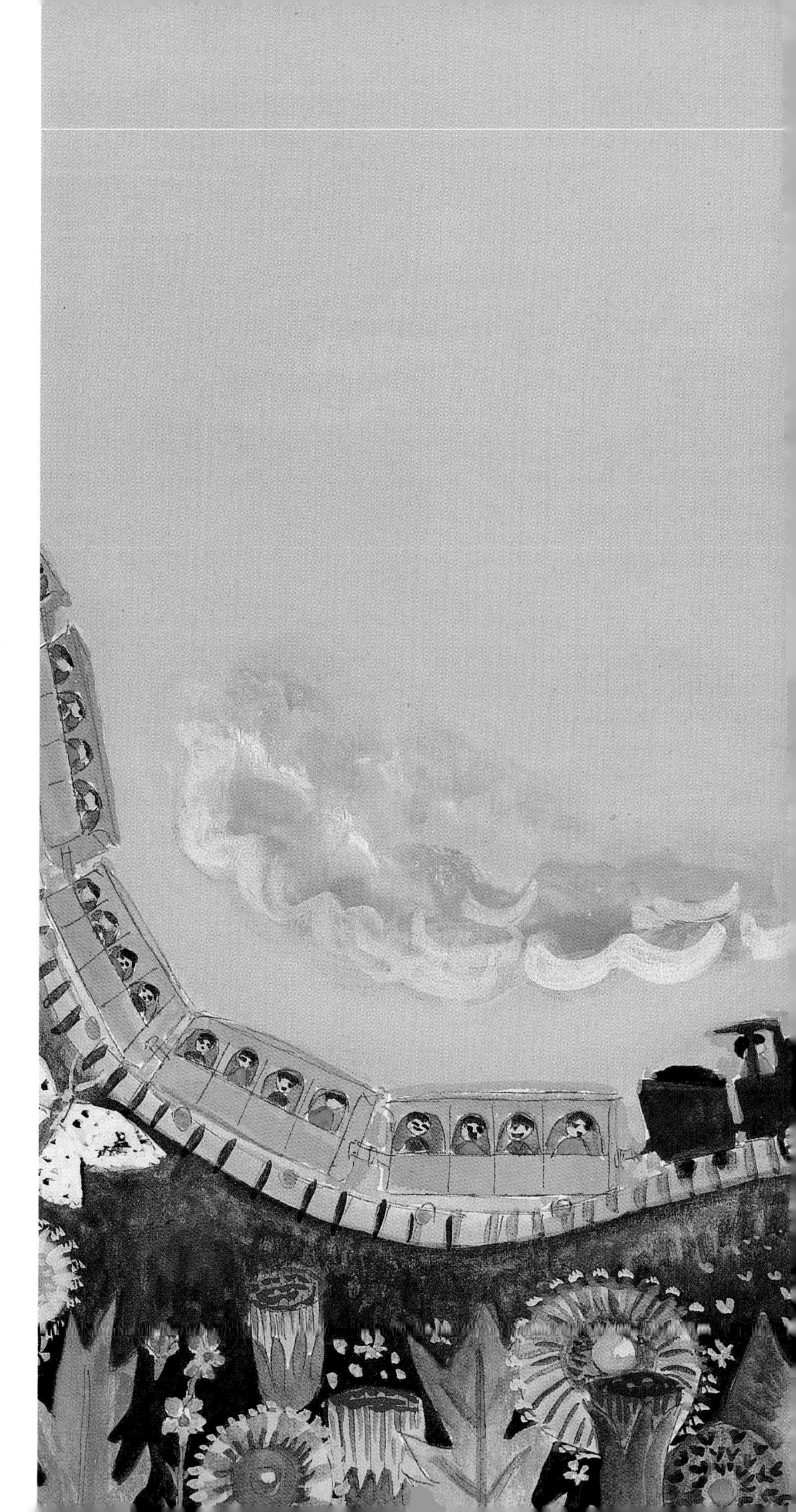

Mais nous sur notre chemin de fer
on s’est mis à rouler
rouler derrière l’hiver
et on l’a écrasé
et la maison s’est arrêtée
et le printemps nous a salués
C’était lui le garde-barrière
et il nous a bien remerciés

et toutes les fleurs de toute la terre
soudain se sont mises à pousser
pousser à tort et à travers
sur la voie du chemin de fer
qui ne voulait plus avancer
de peur de les abîmer

Alors on est revenu à pied
à pied tout autour de la terre
à pied tout autour de la mer
tout autour du soleil
de la lune et des étoiles
À pied à cheval en voiture
et en bateau à voiles.

HISTOIRES